D1029448

Heinz Janisch Jutta Bauer

Sencillamente tú

Lóguez

A veces, uno sólo puede
asombrarse del otro.

Increíble.

A veces, el otro es
guapísimo.

Indescriptible.

A veces, el otro es un completo desconocido.

Inalcanzable.

A veces, el otro ha
desaparecido.

Invisible.

A veces, el otro es
invencible.

Insuperable.

A veces, el otro es
irascible.

Incomunicable.

A veces, el otro es la aventura más emocionante.

Inexplicable.

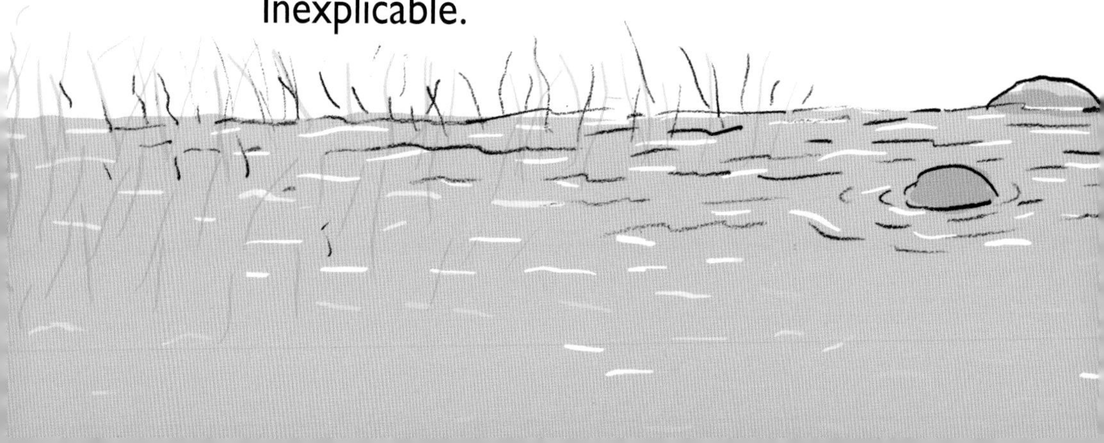

A veces, el otro es tan distinto…

Incomparable.

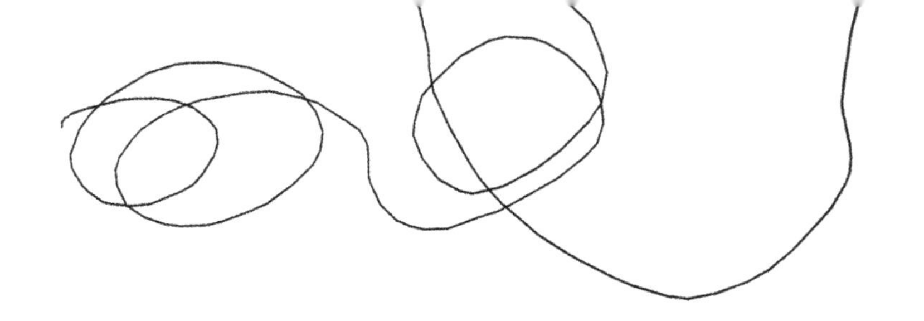

A veces, el otro está
inquieto y nervioso.

Desagradable.

A veces, el otro es una
pequeña cosa gris.

Infeliz.

A veces, el otro es la
mejor protección.

Invencible.

A veces, el otro está
lanzado.

Audible.

A veces, el otro no se aparta
de su camino.

Imperturbable.

A veces, el otro es lo mejor que
a uno le puede suceder.

Insustituible.

A veces, el otro
está sencillamente ahí.

4.ª edición: febrero 2014
Título original: *Einfach du*
Traducción de Eduardo Martínez

Ctra. de Madrid, 128. 37900 Santa Marta de Tormes (Salamanca)
ISBN: 978-84-96646-15-5
Depósito Legal: S. 159-2009
Impreso en España-Printed in Spain
Gráficas Varona, S.A.

www.loguezediciones.es